Adam Blade

**Adapté de l'anglais
par Blandine Longre**

L'OISEAU-FLAMME

HACHETTE

TOM

Tom, le héros de cette histoire, aime l'action et l'aventure : il a toujours voulu devenir chevalier. Sa mission est risquée, et il lui arrive d'avoir peur… mais il sait aussi se montrer très malin ! Par chance, il peut compter sur son amie Elena, sur son cheval Tempête, et sur son épée, dont il se sert très bien. Son rêve le plus cher : retrouver son père, qu'il n'a jamais connu.

ELENA

Cette jeune orpheline accompagne Tom dans ses aventures. Courageuse, astucieuse, et plutôt têtue, elle est experte au tir à l'arc. Elle a tendance à se fâcher, surtout si Tom la taquine ! Mais elle n'abandonne jamais ses compagnons quand ils sont en danger. Avant de rencontrer Tom, son seul ami était Silver, un loup. Très attachée à Silver, elle s'inquiète souvent pour lui… parfois un peu trop !

Bienvenue à Avantia !

Je m'appelle Aduro. Je suis un bon sorcier et je vis au palais du roi Hugo.

Les temps sont difficiles. Dans les Textes Anciens, il est écrit qu'un jour, un grand danger menacera notre paisible royaume.

Ce jour est venu.

Malvel, un sorcier maléfique, a jeté un sort aux six Bêtes qui protègent notre territoire. Ferno, le dragon de feu, Sepron, le serpent de mer, Arcta, le géant des montagnes, Tagus, l'homme-cheval, Nanook, le monstre des neiges, et Epos, l'oiseau-flamme, cherchent à détruire notre royaume.

Mais les Textes Anciens prédisent aussi qu'un jeune garçon délivrera les Bêtes.

Nous ne connaissons pas encore ce héros, mais nous savons que son heure approche... Espérons qu'il ait le courage d'entreprendre cette Quête.

Souhaites-tu attendre son arrivée avec nous ?

Avantia te salue.

Aduro

Grâce à Tom et à Elena, le royaume d'Avantia n'est plus menacé par les Bêtes magiques ensorcelées par Malvel, le sorcier maléfique. Les deux amis ont réussi à délivrer Ferno le dragon, Sepron, le terrible serpent de mer, Arcta le géant des montagnes, Tagus, l'homme-cheval, sans oublier Nanook, le monstre des neiges, qu'ils ont rencontré dans les Plaines de Glaces.

Pourtant, il reste une dernière créature à affronter, la plus puissante de toutes. Cette nouvelle aventure réserve bien des surprises aux deux jeunes héros…

Au bout du tunnel, Rémi arrive dans une grotte sombre.

— Encore une grotte... Je me suis perdu...

Le garçon a très peur. Comment va-t-il retrouver son chemin ? Il a dessiné des marques à la craie sur les parois du tunnel, mais il ne les voit plus : il fait trop noir.

Quelques heures plus tôt, Rémi jouait près des grottes, à côté de son village. Il a entendu des grattements, comme si un animal était pris au piège. Il est donc entré dans une des grottes pour essayer de l'aider. D'habitude, personne n'y va jamais : il y a souvent des éboulements de pierres et les tunnels s'étendent sur des kilomètres.

— Il y a quelqu'un ? appelle-t-il.

Sa voix résonne autour de lui, mais personne ne lui répond.

Il continue d'avancer dans l'obscurité, quand il se retrouve dans une autre grotte.

Là, il aperçoit de la lumière. Il lève les yeux et remarque un bout de ciel gris, entre les roches. Son pied écrase quelque chose... ça ressemble à un morceau d'armure.

Soudain, il entend un cri aigu.

Rémi, terrifié, pousse un hurle-

ment. Une forme noire sort de l'ombre
et se dresse au-dessus de lui.

Un oiseau géant !

L'animal ouvre ses ailes immenses, couvertes de plumes dorées. Son bec est aussi pointu qu'une épée. Il fixe le garçon de ses yeux féroces. Ses grosses serres grattent la roche.

Rémi comprend que c'est ce bruit qu'il a entendu.

La créature s'approche lentement de lui... et, soudain, ses ailes prennent feu ! Le garçon se jette au sol, tandis que l'oiseau se dirige droit sur lui...

Chapitre un

En danger !

—On va bientôt sortir de la forêt, lance Tom à son amie Elena.

Au-dessus d'eux, des branches épaisses cachent le ciel gris. La jeune fille mène Tempête, la monture de Tom, par la bride.

— J'ai besoin de me reposer, dit-elle.

Son loup, Silver, se couche dans l'herbe et gémit.

— Tu vois ? Silver est d'accord avec moi !

— On ne va pas s'arrêter maintenant... Ça fait deux semaines qu'on est partis, et on est presque arrivés !

— Tu es peut-être pressé d'affronter l'oiseau-flamme ? s'exclame Elena.

Tom est épuisé lui aussi, mais il n'a pas le droit d'abandonner la mission que le roi Hugo lui a confiée : libérer les Bêtes qui protègent le royaume d'Avantia, et que le sorcier Malvel a ensorcelées.

Avec l'aide d'Elena, il a déjà affronté un dragon, un serpent de mer, un géant, un homme-cheval et Nanook, le monstre des neiges. Maintenant, il doit retrouver Epos, l'oiseau-flamme.

Tom sort la carte magique qu'Aduro, le conseiller du roi, lui a donnée.

— On va regarder où on est, dit-il. Comme ça, on peut en profiter pour faire une petite pause.

— Bonne idée ! s'écrie Elena en s'asseyant dans l'herbe.

15

Le garçon s'installe à côté d'elle et ils regardent la carte. La jeune fille lui montre une montagne minuscule. De petits nuages de fumée s'échappent du sommet.

— On dirait un volcan !

— Oui, c'est là que vit Epos.

— Aduro pense que cette Bête est la plus puissante de toutes...

— C'est vrai, acquiesce Tom. Tu as vu ce village ? Pourquoi les gens vivent-ils aussi près d'un volcan ?

— Parce que les récoltes y poussent bien, lui explique

Elena. Mon village me manque… ajoute-t-elle.

— Quand on aura terminé notre quête, je suis sûr qu'Aduro te ramènera chez toi, dit le garçon en souriant.

— Et toi? Tu veux rentrer à Errinel chez ton oncle et ta tante?

— Sûrement. Mais surtout, je voudrais retrouver mon père…

La mère de Tom est morte à sa naissance et Taladon, son père, a disparu quand il n'était qu'un bébé.

— Tu sens cette odeur…?

demande soudain le garçon. On dirait de la fumée…

Tout à coup, le sol se met à trembler et un grondement résonne à travers la forêt. Tempête hennit et se dresse sur ses pattes arrière. Tom et Elena se relèvent en vitesse.

À travers les feuillages, le garçon aperçoit de gros nuages noirs et de minces bandes de feu couler du volcan.

— Le volcan ! Il se réveille ! s'écrie Elena.

— Il faut qu'on trouve un abri !

Mais la jeune fille se fige.

— Regarde… chuchote-t-elle, terrifiée.

Tom se retourne. Devant eux, se dresse un oiseau énorme. Son bec est très pointu et une bague dorée est attachée à l'une de ses pattes. Il est entouré de petites flammes et, quand il agite ses ailes, il projette des étincelles dans les buissons.

— Epos… murmure le garçon.

Ses doigts serrent le pommeau de son épée. Il voit une boule de feu qui se forme entre les serres de la Bête.

Soudain, en poussant un cri de colère, l'oiseau-flamme lance la boule en direction de Tom !

Chapitre deux

Une mystérieuse armure

—Recule! s'écrie Tom en brandissant son bouclier.

Tandis que Silver aboie sans arrêt, Elena oblige Tempête à se cacher derrière un arbre.

La boule de feu explose contre le bouclier du jeune garçon. Aussitôt, des centaines d'étincelles s'envolent et brûlent tout ce qu'elles touchent.

Essayant de garder son calme, Tom se tourne vers son amie.

— Prends mon cheval, et va vite chercher de l'aide au village qui est près du volcan !

Elena monte sur Tempête.

— Fais attention à toi, Tom ! lance-t-elle avant de partir au galop.

Le garçon s'aperçoit que l'oiseau-flamme se prépare à envoyer une autre boule de feu. Il lève de nouveau son bouclier, sur lequel se trouve une écaille de Ferno le dragon. Cet objet peut-il le protéger des flammes magiques d'Epos?

La boule de feu s'écrase contre le bouclier, si brutalement que Tom se retrouve par terre.

La Bête pousse un cri de colère, puis s'envole entre les arbres en feu.

— Reviens! crie Tom. Nous n'avons pas terminé!

À présent, le garçon est encerclé par les flammes. Comment va-t-il faire? Tout à coup, quatre hommes surgissent et se précipitent sur lui. Ils l'attrapent par les mains et les pieds, et l'emmènent avec eux.

— Hé! Lâchez-moi!

— On est là pour t'aider, répond l'un d'eux. Ton amie est venue nous prévenir du

danger. Elle t'attend au village.

Dès qu'ils quittent la forêt, les hommes reposent Tom sur le sol.

— Merci beaucoup, leur dit le garçon. Je m'appelle Tom.

— Et moi Raymond, répond l'un d'eux. Nous devons te laisser pour aller éteindre le feu qui menace notre village.

Tom se rend compte qu'ils sont tout près des premières maisons. Un groupe de villageois essaient d'arrêter l'incendie qui vient de la forêt. Raymond et les autres courent les aider.

Soudain, Tom sent qu'on lui lèche la main. C'est Silver! Elena s'approche de lui.

— Je suis si heureuse que tu ailles bien! Où est passé Epos?

— Il s'est envolé.

— C'est la sixième Bête que nous affrontons, mais c'est la première qui nous attaque pour de bon... dit Elena.

— Tu as remarqué la bague dorée qui entoure sa patte?

— Oui, c'est grâce à lui que Malvel l'a ensorcelée.

Tout à coup, un jeune garçon sort de la forêt en

courant. Il porte un morceau d'armure autour du cou. Il s'écroule dans l'herbe en toussant.

— Est-ce que ça va? s'écrie Tom en lui retirant son morceau d'armure. Comment est-ce que tu t'appelles?

— Rémi, répond le garçon d'une voix enrouée. Le feu va détruire mon village!

— Où sont passés les autres villageois?

— Beaucoup de gens sont partis depuis que le volcan s'est réveillé. Mais ma famille et quelques autres sont restées pour protéger nos champs.

Brusquement, Tom attrape Rémi par l'épaule.

— Où est-ce que tu as trouvé ce morceau d'armure ?

— Dans… dans les grottes.

— Où est passé le reste de l'armure ? demande Tom d'un ton furieux.

— J'en sais rien ! s'exclame Rémi en se relevant.

— Tom, qu'est-ce qui t'arrive ? s'inquiète Elena.

— Je m'excuse, murmure-t-il. Mais cette armure a été fabriquée par mon oncle, le forgeron de mon village.

Regarde, il a laissé sa marque ici.

Elena prend l'armure et l'examine.

— Tu as vu, il y a autre chose d'écrit. T...A...L...A...

— Taladon, chuchote Tom, tout excité. Cette armure appartenait à mon père !

Chapitre trois

Piégés

Tom essaie le morceau d'armure : il lui va parfaitement.

— Pourquoi est-ce que ton père avait une armure quand il était jeune ?

— Je ne sais pas. Il n'a jamais été chevalier, pourtant...

Tout à coup, le sol se met à vibrer et des étincelles illuminent le ciel. L'air, devenu plus chaud, leur pique la peau.

— Le volcan ! s'écrie Rémi, affolé.

— Vite ! Tous à l'abri ! hurle Raymond.

Tom et Elena aident Rémi à se réfugier sous un grand chêne. Tempête se place à côté de lui pour le protéger. Silver court à travers la clairière pour aider Raymond à rassembler les villageois sous les arbres. Peu à peu, les tremblements s'arrêtent.

— Il faut qu'on se réfugie dans les grottes, dit Raymond.

— Mais si le volcan entre en éruption, elles vont se remplir de lave ! s'exclame Elena.

Discrètement, Tom sort sa carte magique. Une ligne rouge indique un chemin sous le volcan.

— Je crois qu'il y a un tunnel qui permet de sortir des grottes. Il nous emmènera vers la cité royale.

— On pourra demander au roi de nous aider ! ajoute Rémi.

Elena et Tom suivent alors Raymond et les villageois épuisés jusqu'à l'entrée des grottes.

Une vieille femme leur distribue des bougies. Une autre femme a été blessée pendant l'incendie, et Tom l'aide à monter sur le dos de Tempête.

Le jeune héros regarde l'ouverture sombre de la grotte. Il y a longtemps, son père a dû explorer cet endroit. Est-ce qu'il a rencontré Epos, lui aussi ?

— Je vais vous guider, annonce-t-il. J'ai une carte et je suis moins fatigué que vous tous.

Il entre le premier. Elena,

qui tient Rémi par la main,
marche derrière lui. Tous les
villageois les suivent, leur bou-
gie à la main. De temps en
temps, Tom sort sa carte magique pour ne pas se perdre.

Au bout d'un moment, ils arrivent à un carrefour, et la ligne rouge disparaît de la carte.

— On doit être tout près de la cité du roi, dit le garçon. Mais où se trouve la sortie ?

— Je crois qu'il y a eu un éboulement de pierres, murmure Elena. On dirait que la sortie est bouchée…

— Nous sommes pris au piège ! chuchote Tom à son amie.

Chapitre quatre

Les soldats du roi

—Qu'est-ce qui se passe ?
s'inquiète une femme.

— Rien, répond Tom, qui ne
veut pas effrayer les villageois.
Elena et moi, on part en éclai-
reurs. Attendez-nous ici.

Les deux amis avancent en direction de l'éboulement. En se rappro-
chant, ils entendent des grattements
qui viennent du tas de rochers.

— Tu crois que c'est Epos ? chuchote la jeune fille.

Tom s'empare de son épée. Il est prêt à se battre.

Soudain, Silver bondit sur le tas de rochers et se met à japper, tout excité. Le garçon colle son oreille contre la roche. Il entend des voix !

— On est là ! crie-t-il. Est-ce que vous m'entendez ?

— Qu'est-ce que tu fais ? s'étonne Elena.

— Il y a des gens de l'autre côté ! Ils vont nous aider à sortir de là !

Un gros rocher bascule et

la lumière du soleil entre dans
la grotte. Un homme avec un
casque passe la tête par
l'ouverture.

39

— Un soldat du roi Hugo !
s'exclame Tom.

— Il y a des survivants ! lance
le soldat à ses compagnons. Je
suis là pour vous sauver, dit-il
à Tom. Que tout le monde
sorte, et vite ! Il peut y avoir
d'autres éboulements.

Tom s'écarte et appelle les
villageois. Les soldats les
aident à passer par le trou.

— Parfait, dit Elena à Tom
en souriant. On repart en direction du volcan, maintenant ?

Rémi, qui les a rejoints, l'a
entendue.

— Vous allez essayer de

retrouver l'oiseau magique ? murmure-t-il.

— Tu connais Epos ? demande Tom, les sourcils froncés.

— Oui, je l'ai vu… il y a deux semaines. Une créature terrifiante… Au village, personne n'a voulu me croire.

— Tu as découvert son nid ?

— Je ne sais pas, répond Rémi. J'ai laissé des marques à la craie sur les parois d'un tunnel, mais je ne les ai pas retrouvées.

— Il faut qu'on les cherche, dit Elena.

— Bonne chance, lance Rémi avant de sortir de la grotte à son tour.

Le soldat du roi s'approche d'eux.

— Vous ne venez pas, tous les deux ?

— Il nous reste une mission à remplir, répond Tom.

L'homme le regarde attentivement.

— Tu me rappelles quelqu'un… Taladon. Un garçon aussi courageux que toi !

— Tu le… connais ? demande Tom, stupéfait.

— Il y a des années, le roi a

engagé de jeunes chevaliers. Taladon en faisait partie.

— Qu'est-ce qui lui est arrivé ?

— Je ne sais pas... je ne l'ai jamais revu.

Le soldat sourit, serre la main de Tom et ressort de la grotte.

— Tu te rends compte ! s'exclame le garçon. Il connaissait mon père ! Lui aussi était en mission pour le roi...

Chapitre cinq

Le nid d'Epos

Tom et Elena repartent prudemment vers le volcan. Silver court devant eux en remuant la queue.

— Heureusement qu'il est là pour nous guider, observe la jeune fille. Je ne reconnais pas ce tunnel…

— Moi non plus, c'est un vrai labyrinthe, avoue son ami, qui tient Tempête par la bride. Regarde!

À côté d'une large fissure dans la roche, Elena aperçoit une croix tracée à la craie.

— On ne doit pas être loin du nid de l'oiseau-flamme, constate-t-elle.

Ils laissent le cheval dans le tunnel et s'engagent dans le passage.

Bientôt, ils se retrouvent dans une grotte immense.

— C'est le nid d'Epos! dit Tom en indiquant un tas de bois et de feuilles mortes.

Au centre du nid, il aper-

çoit quelque chose qui brille :
des morceaux d'armure.

— Un gant et des chaus-
sures...

— Regarde, la lettre T est
gravée dans le métal, lui
montre Elena.

Tom enfile le gant et les chaussures : ils lui vont parfaitement.

— Viens, il faut repartir, lui dit son amie. Tempête nous attend.

— Oui, et nous devons arrêter Epos avant que le volcan entre en éruption !

Ils rejoignent le cheval et trouvent la sortie grâce à Silver.

Dehors, le ciel est sombre. Il y a encore un incendie dans la forêt et de la fumée noire recouvre le sommet des arbres. Un torrent de lave s'écoule lentement du volcan.

Tom et Elena montent sur le dos de Tempête, qui part au galop en direction du volcan.

Plus ils s'en approchent, plus il fait chaud.

— Regarde ! L'oiseau-flamme ! s'exclame Elena en désignant une silhouette qui plane au-dessus du volcan.

Brusquement, Epos plonge dans le volcan, puis en ressort en faisant jaillir des flammes et de la lave.

— S'il continue à ajouter du feu dans le volcan, l'éruption va être terrible ! dit Tom.

La lave va peut-être même atteindre la cité royale.

— Je crois qu'il nous a repérés... l'avertit Elena.

Effectivement, la Bête arrive droit sur eux, prête à attaquer...

Chapitre six

Un torrent brûlant

Tom bondit de son cheval, s'empare de son bouclier et dégaine son épée. Il se jette en avant, son arme brandie vers l'oiseau-flamme. Pourvu qu'il arrive à couper cette bague magique qui l'ensorcelle…

Mais, d'un coup de serre, Epos lui arrache son épée, qui part dans les airs.

Paniqué, Tom cherche son arme des yeux. Comment va-t-il se défendre si la Bête l'attaque encore?

En tournant la tête, il voit

Elena encocher une flèche à son arc. Elle vise et tire. Epos réussit à éviter la flèche en tournoyant. Vite, la jeune fille en prépare une autre.

Celle-ci passe tout près de la tête de l'oiseau géant. Furieux, Epos fait demi-tour et s'envole en direction du volcan.

— Bravo ! s'écrie Tom. Grâce à toi, il s'est enfui !

Silver, qui a trouvé l'épée dans les buissons, la rapporte au garçon.

— Comment est-ce qu'on va entrer dans le volcan ? s'inquiète Elena.

— J'y vais seul, répond Tom. Mon bouclier me protégera. Je peux m'en servir pour avancer sur le torrent de lave.

— Mais… si tu tombes… ?

— Il n'y a pas d'autre moyen. Je vais essayer de délivrer Epos, mais s'il m'attaque, tu dois essayer de le chasser en tirant d'autres flèches.

— Tu peux compter sur moi, affirme son amie.

Tom sait qu'une terrible épreuve l'attend. Il serre Elena dans ses bras, caresse son cheval puis s'accroupit pour dire au revoir à Silver. Le loup lui lèche la main.

Le garçon laisse ses amis et part en direction du torrent de lave qui entoure le volcan. Son cœur bat fort et l'air

brûlant lui pique la peau. Il dépose son bouclier sur la lave et grimpe dessus.

Tom tend les bras pour ne pas perdre l'équilibre, tandis que le bouclier glisse sur la lave, de plus en plus vite.

Dès qu'il atteint l'autre rive du torrent, il saute sur la terre ferme et pousse un cri de joie. Il a réussi ! Il fait signe à Elena et récupère son bouclier.

Soudain, le sol se met à trembler. Tom lève les yeux et voit Epos qui vole au-dessus de l'entrée du volcan.

Son destin l'attend là-haut. Il commence à grimper.

Chapitre sept

La silhouette noire

Tom escalade d'énormes rochers, mais le sol devient de plus en plus glissant et il a peur de tomber.

Tout à coup, Epos l'aperçoit. Il pousse un cri perçant et se dirige vers lui.

Tom essaie d'attraper son bouclier, dans son dos, mais l'oiseau-

flamme l'arrache et le garde
dans son bec, avant de s'éloigner.

— Non! s'écrie Tom.

Pourtant, il ne peut pas
reculer maintenant. Il recom-
mence à grimper, malgré la

fumée qui lui brûle les yeux et qui lui fait tourner la tête. Il s'arrête un instant pour boire un peu d'eau.

— Retourne d'où tu viens, Tom, murmure une voix derrière lui.

Le garçon fait volte-face.

Une silhouette vêtue d'une cape sombre et entourée d'une fumée jaune se tient à quelques pas de lui.

— Qui... qui es-tu... ? demande le garçon, terrifié.

— Tu ne t'en doutes pas ? Je suis Malvel.

Le sorcier maléfique qui a ensorcelé les Bêtes est là, devant lui! D'une main tremblante, Tom dégaine son épée.

Malvel éclate de rire.

— Tu es courageux, Tom. Mais ton épée ne peut rien contre moi!

— N'approche pas...

— Tu m'as été très utile, mon garçon, lance le sorcier. Comme ton père...

—Tu ne connais pas mon père!

— Mais si. Taladon m'a aidé... Sans lui, mon plan n'aurait jamais marché!

— Tu mens ! hurle Tom, furieux.

Il brandit son épée et se précipite sur Malvel. Celui-ci disparaît en riant. Mais le garçon, emporté par son élan, se retrouve au bord d'un précipice et il n'arrive pas à s'arrêter !

Désespéré, il comprend que le sorcier lui a tendu un piège.

« Il a fait exprès de me mettre en colère. J'ai commis une grave erreur… » pense le garçon.

Sa quête est terminée. Il sait qu'il a échoué.

Il ferme les yeux et bascule dans le vide.

Chapitre huit

Survivre

Soudain, Tom sent qu'il remonte brusquement vers le ciel.

Il ne comprend pas ce qui se passe. Il ouvre les yeux, stupéfait, et découvre qu'il est suspendu dans les airs... entre les serres d'Epos !

L'oiseau-flamme lui a sauvé la vie. Pourtant, Tom sait que la

Bête est ensorcelée. Est-il capable d'affronter un adversaire aussi puissant?

« Il est hors de question que j'abandonne ma quête, pense le garçon. Je dois me battre jusqu'au bout ! »

Il oublie la douleur qui traverse ses épaules et, de la

pointe de son épée, essaie d'atteindre la bague dorée attachée à la patte d'Epos. Impossible!

Pendant ce temps, la Bête le transporte vers le haut du volcan et se met à tournoyer lentement autour du sommet. Tom a affreusement chaud. Une nouvelle fois, il tente de trancher la bague dorée, mais Epos change de direction et l'épée tombe dans le cratère en éruption!

«Je n'ai plus mon bouclier, ni mon arme, mais je ne dois pas baisser les bras», pense-t-il.

L'oiseau lâche le garçon
dans le volcan, mais Tom

réussit à attraper la patte d'Epos. Celui-ci pousse un cri de rage et essaie de se débarrasser de lui en secouant sa patte. Voyant qu'ils se rapprochent du rebord du cratère, le garçon décide de sauter.

Il lâche la patte de la Bête et atterrit brutalement sur la roche brûlante. Là, il aperçoit une fissure.

« Une bonne cachette », pense le garçon.

Il s'y faufile, en espérant qu'Epos ne le verra pas. Il faut qu'il reprenne des forces et qu'il trouve un plan…

La fissure grimpe jusqu'au sommet, et une pente raide se dresse devant lui. Tom s'aperçoit que d'énormes rochers surplombent la fissure. Si seulement il arrivait à les faire basculer dans le cratère... ils pourraient boucher le volcan.

— Tu arrives trop tard, mon garçon, murmure une voix grave.

Malvel est derrière lui !

Et Epos l'a repéré ! L'oiseau-flamme claque du bec, déplie ses longues ailes dorées et se précipite vers lui...

Chapitre neuf

Libéré !

Tom réussit à s'écarter à temps. La Bête, emportée par son élan, vient s'écraser contre la paroi rocheuse.

— Tu ne peux pas gagner ! hurle Malvel.

Epos, qui s'est déjà relevé, donne un coup d'aile au garçon.

Déséquilibré, Tom se cogne

contre les rochers. L'oiseau l'attrape dans son bec et le jette au sol. Le garçon a mal partout, mais il se force à se redresser.

— Tu n'abandonnes jamais ? grogne le sorcier.

— Jamais ! répond Tom d'un air de défi.

— J'ai lu dans l'esprit de ton amie Elena... Elle est persuadée que tu vas perdre.

— Tu mens ! Elena me fait confiance. Comme moi, je lui fais confiance.

L'oiseau-flamme redescend et pose son énorme serre sur

le ventre de Tom, qui crie de douleur.

— Tu te prends pour un héros ? se moque Malvel. Pourtant, tu es aussi faible que ton père !

—Je t'interdis de te moquer de mon père ! Je lui fais confiance, et je... pense que les Bêtes doivent être libres... parvient-il à dire, malgré la douleur.

Sa main droite, celle qui porte le gant de fer de Taladon, se referme sur la bague dorée enroulée autour de la patte d'Epos. Et soudain, il ne reste plus rien de l'objet maléfique, qui disparaît dans un nuage de fumée !

Enfin libre, Epos pousse un cri aigu, bat violemment des ailes, puis s'élève lentement dans les airs.

— Non ! hurle Malvel. C'est impossible !

Tout à coup, l'oiseau-flamme se jette sur le sorcier, l'attrape dans ses serres et l'emporte au-dessus du volcan. Il va le lâcher dans le cratère quand Malvel disparaît, comme par magie, dans un éclair de lumière blanche.

— J'ai réussi... murmure Tom, qui a encore du mal à y croire.

Son corps est couvert de bleus et de brûlures, mais il ne peut pas s'empêcher de sourire.

Soudain il sent le sol vaciller, et une fissure s'ouvre près de lui. Le volcan va exploser ! Comment faire ?

Tom enlève une de ses chaussures de métal et se met à cogner dans la roche pour agrandir la fissure. Avec un peu de chance, les rochers qui sont au-dessus de la fissure

vont basculer dans le cratère.

Il frappe encore et encore, de plus en plus fort, mais la paroi est trop dure.

Il sent que quelqu'un l'observe. Il se retourne et

aperçoit Epos : l'oiseau-flamme se précipite sur la paroi et s'y cogne pour faire bouger les rochers. La Bête a compris qu'il fallait aider Tom ! Le garçon reprend espoir. Ensemble, ils vont peut-être éteindre le volcan…

La fissure s'élargit et, tout à coup, les rochers s'effondrent dans le volcan.

Tom est à l'abri, mais l'oiseau-flamme n'a pas le temps de s'écarter : il tombe dans le cratère, écrasé par de lourdes roches.

— Epos ! hurle le garçon.

Chapitre dix

Retour au palais

Le sol tremble sous Tom, qui s'agenouille. Il plaque ses mains contre ses oreilles pour ne plus entendre le vacarme des roches qui dégringolent dans le cratère.

Le bruit se calme peu à peu. De la fumée et de la poussière s'élèvent dans le ciel noir. Le feu a été étouffé par les rochers, et le volcan est enfin éteint!

Le royaume est sauvé, mais Epos est mort. Tom sait que la Bête s'est sacrifiée pour Avantia.

Soudain, une silhouette apparaît au milieu de la fumée.

— Aduro !

— Félicitations, Tom. Tu as vaincu Malvel.

— Je ne comprends toujours pas comment j'ai détruit la bague dorée... Est-ce que l'armure de mon père est magique ?

Le sorcier sourit.

— C'est *toi* qui as rompu le

sortilège, parce que tu as fait confiance à tes amis et à ton père.

— Mais l'oiseau-flamme est mort et je n'ai pas pu le sauver.

— Tu crois?

Au même instant, une boule de feu s'élève du cratère. Au centre, Tom voit Epos.

— Cet oiseau est un phénix, lui explique Aduro. Il doit mourir dans les flammes pour ensuite renaître de ses cendres.

La Bête tournoie au-dessus d'eux, laissant derrière elle des traînées dorées qui font disparaître la fumée noire et la cendre qui planent au-dessus du village. Tom se rend compte que l'oiseau a quelque chose dans le bec. Quand il l'ouvre, deux objets s'en échappent.

— Regardez! s'écrie le garçon en riant. Mon épée et mon bouclier!

Au même instant, un autre objet tombe du ciel : une griffe dorée. Tom l'ajoute aussitôt à son bouclier magique. Une lumière dorée enveloppe le garçon, qui est transporté dans les airs…

— Qu'est-ce… qui se passe?

— Un phénix peut guérir toutes les blessures, explique Aduro. Ne t'inquiète pas.

— Aduro, où êtes-vous?

— Quelqu'un d'important veut te voir, murmure la voix

du sorcier, et il n'aime pas attendre…

Tom ouvre les yeux et se retrouve dans une immense pièce, sur un sol de marbre. Devant lui, un homme est assis sur un trône.

— Je te salue, Tom ! lui dit le roi. Je voulais absolument te remercier. Demande-moi ce que tu veux et tu l'obtiendras.

— Majesté, je veux seulement une réponse… Qu'est-ce qui est arrivé à mon père ?

— Taladon était un chevalier, commence le roi. Il y a bien longtemps, il a rencontré

Epos dans les grottes. Mais l'oiseau-flamme a cru qu'il lui voulait du mal, et il l'a attaqué. Ton père a perdu le combat. Depuis ce jour, il a juré de tout connaître des Bêtes. Il a étudié de vieux livres, il a découvert des secrets... Il a aussi trouvé une femme.

— Ma mère, répond Tom.

— Oui. Mais Taladon n'arrêtait pas de rêver des Bêtes. Des cauchemars qui prédisaient un événement terrible... il pensait qu'un jour, une prophétie menacerait le royaume.

Tom écoute le roi. Il n'en revient pas...

— Avant de mourir, ta mère a demandé à ton père de partir à la recherche des Bêtes. Il devait découvrir leurs forces et leurs faiblesses pour protéger Avantia, si un jour elles attaquaient le royaume.

— Mais... Malvel m'a dit que mon père l'avait aidé... C'est vrai? demande le garçon.

Le sorcier Aduro apparaît à côté de lui et prend la parole :

— Malvel a volé les documents secrets de ton père. Il s'en est servi pour contrôler

87

les Bêtes. Mais Taladon ne l'a jamais aidé.

— Est-ce que vous savez où il se trouve, maintenant ? demande Tom, plein d'espoir.

— Non, je sais juste qu'il voyage dans des pays lointains.

— Je le retrouverai un jour, annonce le garçon.

Soudain, il entend du bruit. Le roi sourit.

— Je crois qu'Aduro a fait venir des amis à toi…

La porte de la salle s'ouvre et Elena se jette dans les bras de Tom.

— Tu as réussi ! Bravo !

— *Nous* avons réussi, la corrige son ami. Sans toi, je n'y serais jamais arrivé. Où sont Tempête et Silver?

Au même instant le cheval arrive en trottant et Silver bondit sur Tom.

— C'est bien la première fois que je reçois un cheval et un loup dans la salle du trône, dit le roi en riant. Ce soir, j'organise une grande fête en votre honneur!

— Merci beaucoup, Majesté, dit Tom en le saluant.

— C'est moi, qui vous remercie. Maintenant, je vais

parler au peuple d'Avantia, annonce-t-il en se dirigeant vers le balcon.

Tom en profite pour se tourner vers Aduro.

— Tout est fini? Est-ce que Malvel a vraiment disparu?

— Je l'espère, répond le sorcier. Mais on n'est jamais sûr de rien. Cette mission est terminée, Tom, mais d'autres t'attendent peut-être...

— Je serai prêt! assure le garçon.

— Et je serai là pour t'aider! ajoute Elena.

Tempête hennit et Silver

aboie pour montrer qu'ils sont d'accord eux aussi.

Le roi fait signe aux deux amis de le rejoindre. Ils s'approchent du balcon, s'arrêtent à ses côtés et regardent la rue : une foule immense est réunie pour les applaudir.

— Tu es le héros d'Avantia, Tom ! s'exclame la jeune fille.

Le garçon l'entend à peine. Il a aperçu une silhouette vêtue d'une cape sombre... Tom cligne des yeux : elle a disparu. Est-ce que c'était le sorcier maléfique ?

« Si Malvel revient, je serai prêt », se promet-il.

Mais pour l'instant, il est heureux d'avoir achevé sa quête et d'être près de ses amis.

Il sourit, dégaine son épée et la montre à la foule. Il repense aux six Bêtes qu'il a délivrées : elles vont de nouveau pouvoir protéger le royaume.

Fin

Tom et Elena ont réussi : ils ont enfin délivré les six Bêtes ensorcelées par Malvel !
Mais le royaume d'Avantia n'est pas sauvé pour autant...
Alors que le Roi Hugo se prépare à fêter son anniversaire au palais, Aduro les rejoint, bouleversé. Un événement hors du commun vient de se produire : deux Bêtes sont nées dans les grottes de Nidrem. Tom et Elena doivent à tout prix éloigner les dragons jumeaux de Malvel et les emmener au royaume de Rion, où ils seront en sécurité. Réussiront-ils à remplir leur nouvelle mission ?

Découvre la suite des aventures
de Tom dans le tome 7
de **Beast Quest** :

LES DRAGONS
JUMEAUX

Plonge-toi dans les aventures de Tom à Avantia !

LE DRAGON DE FEU

LE SERPENT DE MER

LE GÉANT DES MONTAGNES

L'HOMME-CHEVAL

LE MONSTRE DES NEIGES

Pour tout connaître sur ta série préférée, va sur le site :
www.bibliotheque-verte.com

Table